los PiTUFOS ™

los PiTUFOS ™

EL PITUFO APRENDIZ

Incluye también:
TRAMPAS PARA LOS PITUFOS
ROMEOS Y PITUFINA

NORMA Editorial

Volumen 8
El pitufo aprendiz

Título original: "E'apprenti schtroumpf"
Primera edición: Noviembre de 2013

© *Peyo* - 2013 - **Licensed through I.M.P.S. (Brussels) - www.smurf.com**

© 2013, Norma Editorial por la edición en castellano.
Passeig de Sant Joan 7 – 08010 Barcelona.
Tel.: 93 303 68 20 – Fax : 93 303 68 31.
E-mail : norma@normaeditorial.com
Dibujo: Peyo
Guión: Y. Delporte y Peyo
Traducción: IMPS
Rotulación: Joanmi I.O.
ISBN: 978-84-679-1259-3
Depósito legal: B-14245-2013

www.NormaEditorial.com
www.NormaEditorial.com/blog
www.smurf.com

Consulta los puntos de venta de nuestras publicaciones en
www.normaeditorial.com/librerias

Servicio de venta por correo: Tel. 93 244 81 25 – correo@normaeditorial.com,
www.normaeditorial.com/correo

NormaEditorial

EL PITUFO APRENDIZ

ES DE NOCHE EN EL PAÍS DE LOS PITUFOS, Y EN EL PEQUEÑO PUEBLECITO DORMIDO, SOLO UNA LUZ PERMANECE ENCENDIDA: LA DEL LABORATORIO DE PAPÁ PITUFO.

DE PRONTO...

...TRES GRANOS DE TIERRA DE SIENA...

...Y UNA PIZCA DE YESO.

...DOS PITUFOS DE ALCALÍ VOLÁTIL... CALIENTO A FUEGO FUERTE...

...VEAMOS... SÍ, YA ESTÁ TODO. PUEDO PITUFAR EL EXPERIMENTO.

AHORA VIERTO EL LÍQUIDO SOBRE ESTA SEMILLA...

PUF

¡YA ESTÁ! ¡LO HE CONSEGUIDO!

¡HE LOGRADO PITUFAR EL ELIXIR DE GERMINACIÓN ESPONTÁNEA! ¡QUÉ CONTENTO ESTOY!

CONTENTO PERO CANSADO, MMMMMMM. ME VOY A ACOSTAR. ME PITUFO DE SUEÑO.

¡PITUFABLE! TAMBIÉN YO VOY A PODER PITUFAR MAGIA.

VEAMOS... PAPÁ PITUFO HA TOMADO ALCALÍ VOLÁTIL.

TIERRA DE SIENA... Y TAMBIÉN ÁCIDO PITÚFICO.

LO PONGO A CALENTAR...

¡YA ESTÁ!

LO VIERTO SOBRE ESTE GRANO Y ...

BOUM

DEBO DE HABERME PITUFADO EN ALGO...

PAPÁ PITUFO TIENE UN TRATADO CON TODAS LAS FÓRMULAS. ¡SI YO PUDIERA TENER UNO...!

AL DÍA SIGUIENTE...

¡YUJUUUU! ¡PAPÁ PITUFO! ¿DÓNDE ESTÁS?

¿QUÉ QUIERES?

QUIERO AYUDARTE EN TUS EXPERIMENTOS, PAPÁ PITUFO. TENGO CUALIDADES PARA ELLO, TE LO PITUFO...

¡ERES DEMASIADO JOVEN, PITUFITO! VE A JUGAR CON LOS DEMÁS. YA PITUFAREMOS DE ESO MÁS TARDE.

¡MÁS TARDE! ¡MÁS TARDE! ¡YO QUIERO HACER MAGIA AHORA MISMO! ¡Y LA HARÉ, PITUFE LO QUE PITUFE!

¡AHORA QUE LO PIENSO...! PAPÁ PITUFO ESTÁ EN EL BOSQUE...

¿Y SI FUERA A ECHAR UN PITUFO A SU TRATADO?

¡REPITUFOS! HA PITUFADO CON LLAVE.

11

¡UF! EL LABORATORIO ESTÁ LIMPIO, PERO SIGO SIN PODER LEER EL TRATADO.

¡REPITUFA! ¿QUIÉN HA PITUFADO ESE PAPEL SOBRE MI MESA?

¡FÓRMULA MÁGICA DE UN BREBAJE QUE ASEGURA EL DON DE MANDO A TODOS AQUELLOS QUE LO INGIEREN!

¡YUPIII! ¡VOY A FABRICARLO AHORA MISMO!

...Y TRES CUCHARADAS DE PIMIENTA MOLIDA. UNA PINTA DE CERVEZA Y MEZCLÁNDOLO TODO BIEN...

¡YA ESTÁ! ME LA PITUFARÉ AHORA MISMO.

GLU GLU GLU

¡AJAJÁ! AHORA VOY A COMPROBAR LA EFICACIA DE LA FÓRMULA.

8

Y EL APRENDIZ DE PITUFO CRUZA A TODA PRISA EL BOSQUE QUE LE SEPARA DE LA CASA DE GARGAMEL...

¡ESA ES!

¡CUIDADO! ¡AHÍ VIENE GARGAMEL!

¡VEN, AZRAEL! VAMOS A BUSCAR AGUA AL PANTANO.

¡SE HA MARCHADO! ES CUESTIÓN DE APROVECHARLO.

¡HUMPF!

¡YUPIII! ¡EL TRATADO QUE BUSCABA! ME LO LLEVARÉ.

Magicae Formulae

¡DEPRISA! ¡A LA VENTANA...!

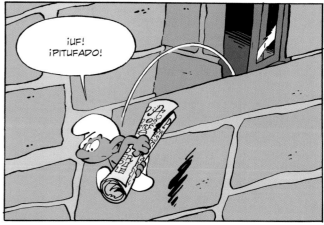

¡UF! ¡PITUFADO!

¿EH? ¿QUÉ HACE AHÍ MI LIBRO DE MAGIA?

¡ALGUIEN HA ARRANCADO UNA PÁGINA! ¡APUESTO A QUE HA SIDO UNO DE ESOS ODIOSOS PITUFOS...!

¡JA, JA, JA! ¡ESTA SÍ QUE ES BUENA! NO SABEN LO QUE LES ESPERA.

¡DEPRISA! ¡A CASITA!

Y HORAS MÁS TARDE, CUANDO YA HA OSCURECIDO...

¡YA ESTÁ! ¡LO HE CONSEGUIDO! ¡TENGO UNA FÓRMULA MÁGICA! ¡TENGO UNA FÓRMULA MÁGICA!

BAM

LO PRIMERO QUE TENGO QUE HACER ES ENCERRARME A CAL Y CANTO, PARA GUARDAR EL SECRETO.

¡MENUDA PITUFA SE VAN A LLEVAR...!

VEAMOS... LISTA DE LOS INGREDIENTES NECESARIOS... BUENO, YA LO PITUFARÉ MÁS TARDE.

¡HUM! PREPARACIÓN... ¡SIGO SIN SABER PARA QUÉ SIRVE LA FÓRMULA!

¡OH, NO! ¡CONTINÚA EN LA PRÓXIMA PÁGINA...! ¡Y ESA SE HA QUEDADO EN EL LIBRO DE GARGAMEL!

¿CÓMO PODRÉ SABER PARA QUÉ SIRVE LA FÓRMULA?

EL ÚNICO MODO DE AVERIGUARLO ES FABRICARLA.

VAMOS A VER... PRIMERO, LOS INGREDIENTES... HUM... SÍ... ¡BUENO, YA IRÉ A BUSCARLOS MAÑANA POR LA MAÑANA!

Y AL DÍA SIGUIENTE, AL AMANECER...

VAMOS A VER, NECESITO JUGO DE ORTIGAS...

...PITUFO DE RICINO...

...AZUFRE...

SCRATCH SCRATCH

...UNA SETA GRANDE...

...CAL VIVA... ¡UY! ¡CUIDADO!

...GUSANITOS DE RÍO...

...Y UN HUEVO... ¡PUAF! PITUFADO HACE TRES SEMANAS...

MEZCLO BIEN LOS INGREDIENTES Y LOS HAGO PITUFAR A FUEGO LENTO. ¡YA ESTÁ LISTA!

LO QUE ME FASTIDIA ES NO PODER SABER QUÉ EFECTOS ME CAUSARÁ LA MEZCLA CUANDO ME LA PITUFE...

NO ME IMPORTARÍA QUE OTRO SE LA PITUFARA EN MI LUGAR.

¡ATIZA! ESE QUE VIENE HACIA AQUÍ ES EL PITUFO GOLOSO...

¡EEEEH, PITUFO!

¿SÍ?

ACABO DE PITUFAR UN BREBAJE MÁGICO. PERO NO SÉ PARA QUÉ SIRVE. ¿QUIERES PROBARLO?

¡OH, SÍ! ÑAM, ÑAM...

¡PUAF! ¡QUÉ MAL PITUFA!

SERÁ MEJOR QUE TE PITUFES TÚ MISMO ESA PITUFERÍA.

PROBARÉ CON EL PITUFO TONTÍN.

¡HOLA! ¿QUIERES PITUFAR MI PÓCIMA MÁGICA?

NO, GRACIAS. NO TENGO SED.

SE LA OFRECERÉ AL PITUFO FILÓSOFO.

¡AH, NO! NO PIENSO PITUFAR ESA MEZCLA, PORQUE, COMO DICE SIEMPRE PAPÁ PITUFO, EL QUE PITUFE, PITUFARÁ, Y PAPÁ PITUFO SABE MUY BIEN LO QUE SE PITUFA, ASÍ QUE...

¿CÓMO? ¿PRETENDES QUE PRUEBE ESTA PORQUERÍA SIN QUE NI SIQUIERA SEPA SUS EFECTOS? ¿TE HAS VUELTO PITUFO O QUÉ?

¡YA ME LO SUPONÍA! NO PUEDES PITUFARTE DE NADIE.

ES IGUAL. LA PROBARÉ YO MISMO. ¡ALLÁ VOY!

GLU GLU

¡AY! ¡AY! ¡LA PIEL SE ME HA VUELTO VERDE Y ESCAMOSA...!

!

¡AAAH!

¡AAAH!

¡SOCORRO!

¡AUXILIO!

¡PITÚFESE QUIÉN PUEDA!

¡MIRA LO QUE ME HA PASADO, PAPÁ PITUFO! ¡AYÚDAME, POR FAVOR!

PERO... ¿QUÉ ES LO QUE HAS PITUFADO?

ME TRAGUÉ UNA PÓCIMA MÁGICA QUE REALICÉ A BASE DE UNA FÓRMULA QUE LEÍ... ¡Y YA VES!

¿DE DÓNDE SACASTE ESA FÓRMULA MÁGICA?

DEL... ¡DEL LIBRO DE GARGAMEL!

¡ESO TE PASA POR TRAVIESO! ANDA, VEN. VOY A VER SI CONSIGO HACER ALGO.

¡TRÁGATE ESTA PÍLDORA!

PEYO

GLUB.

¡NADA! LA COSA NO PITUFA.

ESPERA AL MENOS UN POCO. ES DE EFECTOS RETARDADOS.

18

¡YA HACE RATO QUE ME TRAGUÉ LA PÍLDORA Y SIGUE SIN OCURRIR NADA!

ES VERDAD. TENDREMOS QUE PITUFAR OTRA COSA.

PROBARÉ CON ESTE ELIXIR.

ANDA, PITÚFATELO DE UN TRAGO.

TEN CUIDADO. ES MUY FUERTE.

FJIOÜÜÜÜÜ

¡HA VUELTO A PITUFAR!

MÁS TARDE...

¡NO HAY NADA QUE HACER! NINGUNO DE ESTOS PRODUCTOS HA CONSEGUIDO REMEDIAR TU MAL.

VETE A CASA. INTENTARÉ ENCONTRAR UN ANTÍDOTO Y, SI LOGRO PITUFARLO, TE IRÉ A VER.

¡MANOS A LA PITUFA!

PEYO

19

23

AQUELLA NOCHE, MIENTRAS PAPÁ PITUFO BUSCABA EL ANTÍDOTO...

...Y UNA GOTA DE ROCÍO...

...EL MALVADO GARGAMEL PREPARABA UNA TRAMPA PARA LOS PITUFOS.

¡JA, JA, JA!

BING BING

Y AL DÍA SIGUIENTE, AL AMANECER.

¡ES INÚTIL! LO HE PITUFADO TODO SIN RESULTADO.

TENDRÉ QUE PITUFARLE LA NOTICIA AL POBRECITO PITUFO.

?

"SOY DEMASIADO DESGRACIADO. VOY A VER A GARGAMEL, DONDE ESPERO ENCONTRAR EL ANTÍDOTO. ¡ADIÓS! PITUFO."

¡DEPRISA! HAY QUE IR A BUSCAR AL PITUFO A CASA DE GARGAMEL. ¡CORRE UN SERIO PELIGRO!

¡VALOR! ¡ALLÁ VOY!

NO SE VE A NADIE, TODO VA BIEN POR AHORA.

TENGO QUE LOCALIZAR EL TRATADO DEL QUE ARRANQUÉ LA FÓRMULA, PERO... ¿DÓNDE ESTARÁ?

¡ALLÍ! ¡ALLÍ ESTÁ!

Magicae Formulae

?

CLOP

BLAM

¡JA! ¡JA! ¡JA! ¡YA TENGO UNO! ¡JA! ¡JA! ¡JA!

¡CONQUE ESTE ES MI LADRÓN DE FÓRMULAS! ¡QUÉ FEO! ¡JA, JA, JA, JO, JO, JO!

¡SOCORROOO! ¡EL GATO QUIERE PITUFARME!

¡AZRAEL!

¡FUERA! ¡ESE PITUFO NO ES PARA TI! ME SERVIRÁ PARA UN NUEVO EXPERIMENTO...

¡AH! A TRABAJAR. PARA EMPEZAR, VOY A...

!

¡SUELTA A ESE PITUFO, GARGAMEL!

...¡O TENDRÁS QUE VÉRTELAS CON NOSOTROS!

¡LOS PITUFOS!

¡ESTA VEZ YA SOIS MÍOS! ¡OS PILLARÉ A TODOS!

¡POR FIN!

¡VENGANZA!

¿DÓNDE ESTÁN? ¡NO ES POSIBLE QUE YA HAYAN DESAPARECIDO!

¡BUAAA! ¡SE ME HAN VUELTO A ESCAPAR! ¡NO ES JUSTO! ¡YO SOY FUERTE Y GRANDOTE Y ELLOS SON PEQUEÑITOS Y DÉBILES! ¡PERO LOS QUE GANAN SIEMPRE SON ELLOS! ¡BUAAA! ¡ES INJUSTO!

HAN TRANSCURRIDO ALGUNOS DÍAS Y TODO HA VUELTO A SU CAUCE...

¿Y SI ENTRARA A CHARLAR UN RATO CON EL APRENDIZ DE PITUFO?

!

...PITUFAR LA MEZCLA CON AYUDA DE UNA ESPÁTULA, A CONTINUACIÓN...

¡DEPRISA! ¡TENGO QUE AVISAR A PAPÁ PITUFO!

¡LO HE VISTO, PAPÁ PITUFO! ¡OTRA VEZ ESTÁ OCUPADO PREPARANDO UNA PÓCIMA MÁGICA!

¡AH, NO! ¡ESTO NO PITUFARÁ ASÍ! ¿DÓNDE ESTÁ?

¡EN SU CASA!

¡ADELANTE!

BOUM BOUM BOUM

PERO BUENO... ¿ES QUE NO TE BASTÓ CON UNA LECCIÓN? ¿OTRA VEZ VUELVES A JUGAR CON LA MAGIA?

¡NADA DE ESO, PAPÁ PITUFO! ¡NO ES UNA RECETA MÁGICA, SINO LA RECETA DE UN BIZCOCHO DE PITUFAS! ¿QUERÉIS PITUFARLO?

Peyo

32

Abra · Cadabra

FIN

Pitufo

los **PiTuFos** ™

TRAMPAS PARA
LOS PITUFOS

TRAMPAS PARA LOS PITUFOS

QUIERO ECHAR UN VISTAZO A ESTE TRATADO. TIENE QUE SER PITUFAL...

TRATADO SOBRE MORAL

¡APASIONANTE! ¡ES PITUFERADAMENTE APASIONANTE!

CRAAC

CLAP

¡JA, JA, JA! ¡ESTO ES LO QUE YO LLAMO UN LIBRO CAUTIVADOR!

¡AUXILIO! ¡SOCORRO! ¡PAPÁ PITUFO! ¡SOCORRO!

PARA HACER EL JUEGO MÁS INTERESANTE, ME ESCONDERÉ EN UN LUGAR DONDE HAYA NUECES...

¡OOOOOH! ¡NO PUEDE SER CIERTO LO QUE ESTOY PITUFANDO! ¡ESTOY PITUFADÍSIMO!

NO, NO. ¡ES UN PASTEL DE VERDAD! ¡REPITUFAS! ME LO LLEVARÉ AL PUEBLO. AL MENOS ME DURARÁ DOS DÍAS.

PERO... PERO... ¿QUÉ ES LO QUE OCURRE?

¡ESTÁ PEGAJOSO! ¡ME QUEDO PEGADO!

¡LA GLOTONERÍA ES UN FEO VICIO, PITUFITO! ¡JA, JA, JA, JA!

¡GARGAMEL!

3

¡AVANZAREMOS EN GRUPO! ES LO MÁS PRUDENTE...

¡CUIDADO!

¡TODOS! ¡LOS HE CAZADO A TODOS!

¡TENGO QUE ESCAPAR COMO SEA, O ESTAMOS PERDIDOS!

¡UF! ¡POR PITUFA, NO ME HA VISTO!

¡POBRES PITUFITOS MÍOS! POR EL MOMENTO NADA PUEDO HACER POR VOSOTROS, PERO VOLVERÉ ESTA NOCHE A LIBERAROS.

Y HORAS DESPUÉS...

¡DESDE AHORA SERÉIS MIS ESCLAVOS Y, AL PRIMERO QUE DESOBEDEZCA, SE LO ZAMPARÁ AZRAEL DE POSTRE...!

6

¡ATIZA! ME SOBRA UN GRILLETE Y EL SACO ESTÁ VACÍO. ¿CÓMO ES POSIBLE?

¡PAPÁ PITUFO! ¡ME FALTA PAPÁ PITUFO...!

¡BAH! ACABARÁ POR CAER EN MIS MANOS. MAÑANA ME OCUPARÉ DEL ASUNTO. AHORA NECESITO REPONER FUERZAS...

¡AZRAEL!

¡EH!

YA QUE NO PUEDO CONFIAR EN TI, PASARÁS LA NOCHE EN EL SÓTANO. ¡HALA!

¡POR FIN HA APAGADO LA LUZ! YA DEBE DE HABERSE ACOSTADO. ¡HA LLEGADO EL MOMENTO DE ACTUAR...!

¡VALOR, PAPÁ PITUFO! LA VIDA DE TUS PITUFITOS DEPENDE DE TI...

¡PAPÁ PITUFO!

¡VEN A LIBERARNOS, DEPRISA!

¡SSST!

PRIMERO TENGO QUE OCUPARME DE GARGAMEL. A PROPÓSITO, ¿DÓNDE ESTÁ EL GATO?

¡EN EL SÓTANO!

PAPÁ PITUFO SE ENTREGA A UNA MISTERIOSA TAREA Y, POCO DESPUÉS...

¡CUCÚUU! ¡GARGAMEL!

¿EH? ¿QUIÉN ESTÁ AHÍ? ¿QUÉ OCURRE?

¡OH! ¡NO ES POSIBLE!

los Pitufos ™

ROMEOS Y PITUFINA

ÉRASE UNA VEZ CIEN PITUFOS QUE VIVÍAN EN PAZ.
Y ENTONCES LLEGÓ UNA PITUFINA...

PERO ESA ES OTRA HISTORIA.

SEGURO QUE OS PREGUNTARÉIS QUÉ HA SIDO DE ELLA.
PUES ESTÁ BIEN.

DE VEZ EN CUANDO VUELVE AL PUEBLO Y AHORA PODRÉIS
LEER ALGUNAS HISTORIAS QUE OS ENSEÑARÁN QUE
NO HA CAMBIADO DEMASIADO.

*Peyo * Y. Delporte*

¿QUÉ ESTÁ PITUFANDO EN EL PUEBLO? ACASO HOY ES...

¡SÍ! ¡HOY YA ES PRIMAVERA!

¡LARGO, POR CIEN MIL REPITUFOS!

¿ALGÚN PROBLEMA, PITUFO LABRADOR?

¡LA CULPA LA TIENEN ESOS BICHOS, QUE SE COMEN LA SEMILLA DEL SEMBRADO!

¿POR QUÉ NO PITUFAS UN BUEN ESPANTAPÁJAROS?

¡ESPANTAPÁJAROS, ESPANTAPÁJAROS! PARA ESO SE NECESITAN TRAPOS VIEJOS Y YO NO TENGO NINGUNO...

PÍDESELOS AL PITUFO VANIDOSO. ¡SEGURO QUE TE LOS PITUFARÁ CON MUCHO GUSTO!

¡BUENA IDEA, PAPÁ PITUFO! VOY PARA ALLÁ...

¡HOLA, PITUFO VANIDOSO! PO... ¿PODRÍAS PRESTARME ALGO PARA FABRICAR UN ESPANTAPÁJAROS?

¡CLARO QUE SÍ!

PRECISAMENTE TENGO UNAS TELAS PRECIIIIOOOOSAS... ESTA PIEZA DE SEDA SALVAJE, POR EJEMPLO, O ESTA OTRA DE BROCADO... TAMBIÉN TENGO PUNTILLITAS Y ENTREDOSES EN CANTIDAD...

CON UN BUEN PESPUNTEADO, QUEDARÁ MUCHO MÁS GRACIOSO, YA VERÁS...

TIKETIKETIK

Y AHORA, BASTARÁ CON UN TOQUECITO FEMENINO PARA QUE EL CONJUNTO QUEDE PITUFFFÍÍÍÍSIMO...

MÁS TARDE...

¿QUÉ HAY, PITUFO? ¿CONTENTO DEL ESPANTAPÁJAROS?

¡NO ME HABLES, PAPÁ PITUFO! ESTÁ TAN BIEN HECHO, QUE LOS PÁJAROS VIENEN DE KILÓMETROS Y KILÓMETROS A LA REDONDA PARA ADMIRARLO. ¡MI ESPANTAPÁJAROS VA DE PICO EN PICO!

¡FUERA! ¡LARGO! ¡PITUFAOS!

¡YA ESTOY HARTO DE ESTA CURSILADA!

YA VEO QUE HA SIDO PEOR EL REMEDIO QUE LA PITUFADA.

¡YA LO VES! EL ESPANTAPÁJAROS ES DEMASIADO BONITO PARA DARLES MIEDO A LAS AVES...

¿Y SI LE PIDIERAS AL PITUFO ESCULTOR QUE TE HICIERA UNA ESTATUA?

¿HAS COMPRENDIDO LO QUE QUIERO? ¡ALGO QUE TENGA REALISMO! ¡CON MUCHO REALISMO!

¡DE ACUERDO!

VEAMOS... ¿A QUIÉN PODRÍA UTILIZAR COMO MODELO? ¿AL PITUFO FORTACHÓN...? ¿AL PITUFO FILÓSOFO...?

¡NO! SE ME OCURRE UNA IDEA MUCHO MEJOR...

¡YA ESTÁ! AHORA SOLO TENGO QUE LLEVARLA HASTA LAS TIERRAS DEL PITUFO LABRADOR...

¡VAYA! VEO QUE ESTA VEZ MI IDEA DIO RESULTADO. ¡NO VEO NI UN SOLO PÁJARO!

¡AH, NO! LO QUE ES PÁJAROS, NO HAN VENIDO MÁS...

¡PERO EN CAMBIO, A ESOS MIRONES NO ME LOS QUITO DE ENCIMA!

49

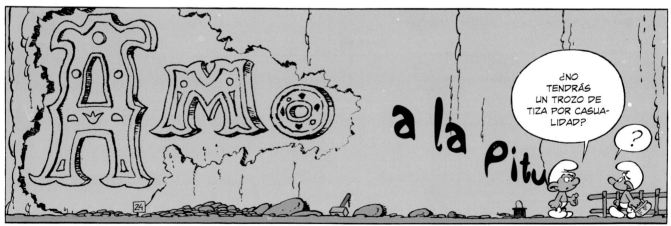

¿QUIÉN ES? ¡ADELANTE!

¡BUENOS DÍAS, PITUFINA! SOY YO...EJEM...

¿SÍ?

PUES, VERÁ... HE VENIDO, EJEM... A PITUFARTE ESTE REGALITO...

¡CLARO QUE SÍ!

¡UNA PIEL! ¡OH, NO! NO TENÍAS QUE HABERTE MOLESTADO...

¡ES MAG-NÍ-FI-CA! PERO... ¡QUÉ LOCURA! NO DEBISTE HACERLO. ¡DE VERAS!

SMAK SMAK SMAK

¡ERES UN SOL DE PITUFO! ¡DÉJAME QUE TE DÉ UN BESO!

CELEBRO QUE TE HAYA GUSTADO... ¡Y NO OLVIDES DARLE UNA HOJITA DE LECHUGA, TODAS LAS MAÑANAS...!

¿UNA HOJA DE LECHUGA? PE... PERO...

BAF

¡HIIIIIIIIII!...

¡QUÉ HORROR! ¡ESTÁ VIVA!

ZOUUUF

56

¡JAMÁS COMPRENDERÉ A LAS PITUFINAS! ¡JAMÁS!

SUSPIRO

VEN, GUAPITA...

53

SÍ, SÍ, PAPÁ PITUFO... CREO QUE ME CASARÉ CON UNO DE VOSOTROS, PERO TODAVÍA NO HE DECIDIDO CUÁL...

¡SERÉ YO, PITUFINA!

¡NO! ¡YO!

¡YO!

VEAMOS. LA ELECCIÓN NO ES TAN DIFÍCIL. SÉ QUE YA NO SOY UN AZUL, PERO TODAVÍA ESTOY BASTANTE VERDE, A PESAR DE MIS CABELLOS BLANCOS. ¡ADEMÁS, CONMIGO SERÍAS MAMÁ PITUFINA!

PUES... EJEM...

YO TE PITUFARÍA MÚSICA TODO EL DÍA, ¡Y HASTA DE NOCHE!

YO TE PITUFARÍA PASTELES ASÍ DE GRANDES: PASTELITOS DE PITUFA, FRESAS CON PITUFA BATIDA... FLANES AL PITUFELO...

¡Y YO TE PITUFARÍA VERSOS, PITUFINA MÍA!

¡Y YO ESTUPENDAS ENSALADAS Y PEPINILLOS FRESCOS, PALABRA DE PITUFO!

YO TE PITUFARÍA VESTIDOS MONÍSIMOS...

¡PERO CONMIGO ESTARÍAS SEGURA! ¡YO TE DEFENDERÍA SIEMPRE!

¡Y YO INVENTARÍA MAQUINITAS Y COSAS ÚTILES PARA TI!

ES A MÍ A QUIEN DEBES PITUFAR, PORQUE MI CORAZÓN SUSPIRA Y, COMO DICE EL PROVERBIO: CORAZÓN QUE PITUFA, NO TIENE LO QUE ANSÍA, Y SE LO DIRÉ A PAPÁ PITUFO, QUE...

¡YO NO SÉ LO QUE TE PITUFARÍA, PERO TE LO PITUFARÉ!

YO NO TENGO GANAS DE CASARME...

¡ÉL ES EL QUE QUIERO!

¡ ?

VAMOS, PITUFINA...¡DIGA QUE ES A MÍ A QUIEN ELIGES...!

NO, A MÍ.

¿Y YO? ¿NO TE GUSTO YO? ¡TIENES QUE DECIDIRTE!

¡YO!

¡ANDA! ¿POR CUÁL DE NOSOTROS TE PITUFAS?

PUES...PITUFAMENTE, NO LO SÉ. ¡SOIS TODOS TAN GENTILES!

SÍ, PERO YO SOY EL MÁS GENTIL DE TODOS.

NO ES CIERTO, SOY YO.

¡YO SERÍA CAPAZ DE PITUFAR CUALQUIER COSA POR TI!

¿DE VERAS? ¿SERÍAS CAPAZ DE PITUFARME EL DESAYUNO A LA CAMA TODAS LAS MAÑANAS?

¿Y TAMBIÉN PITUFARÍAS LA VAJILLA... Y LA COLADA?

...TAMBIÉN TENDRÍAS QUE PLANCHAR, Y AYUDARME A HACER LAS CAMAS... QUITAR EL POLVO A LOS MUEBLES... SACUDIR LAS ALFOMBRAS...

...PERO... PERO... ¿DÓNDE SE HAN METIDO?

...DEVANAR OVILLOS DE LANA, HACER LIMPIEZA A FONDO LOS SÁBADOS, ARRANCAR LA MALEZA DEL JARDÍN, CORTAR LA LEÑA, LUSTRARME LOS ZAPATOS, LIMPIAR LA PLATA Y LOS METALES Y, ADEMÁS...

31

¡TE LO SUPLICO, PITUFINA! ¡HAZ DE MÍ EL MÁS FELIZ DE LOS PITUFOS!

¡NO!

ENTONCES... ¿ESTÁS DECIDIDA? ¿NO QUIERES?

¡HE DICHO QUE NO! NO INSISTAS...

¡MUY BIEN! ENTONCES, YA SÉ LO QUE DEBO HACER...

PERO..., ¡DESGRACIADO! ¿QUÉ TE PROPONES? ¡QUIETO AHÍ!

¡DEMASIADO TARDE! YA QUE TE NIEGAS A COLUMPIARTE CONMIGO, ME COLUMPIARÉ SOLO. ¡HALA!